DRÔLE D'ÉLÈVE !

C'est le premier jour d'école de Lola.
Elle y part tout émue,
main dans la main avec Titou
et surtout très fière du nouveau
sac d'école que sa maman
vient de lui acheter.
Mais aussi fière et émue soit-elle,
Lola est contrariée.

C'est parce qu'elle a le cœur brisé
de devoir laisser Woufi à la maison, où
il est sûrement triste. Et puis elle
aimerait tellement qu'il puisse partager
ses nouvelles découvertes ! Tout au long
de la journée, Lola réfléchit à un moyen
de l'emmener et elle finit par trouver :
demain c'est décidé, elle emmènera
Woufi caché dans son sac d'école
où il pourra rester !

Et le lendemain, c'est chose faite ! Ni vu ni connu, Woufi se glisse dans le sac de Lola, qui lui a longuement expliqué qu'il pouvait l'accompagner à l'école à condition d'être sage toute la journée. Il ne devra ni bouger ni aboyer. Ouaf ouaf, promis, juré, répond Woufi, ravi de ne pas devoir rester tout seul à la maison une nouvelle journée.

12345
678910

Pendant la classe, la maîtresse et
les élèves ne s'aperçoivent de rien.
Seul Titou est au courant de ce secret.
Certes, le sac d'école de Lola est
un peu gros, et parfois il bouge
un peu, mais au moins Woufi
s'est souvenu de ne pas aboyer,
donc tout va bien.

C'est à la récréation que les choses se compliquent un peu : Lola ne peut envisager de laisser Woufi tout seul dans son sac ; s'il n'est pas un peu surveillé, il risque certainement de faire des bêtises, et Lola pourrait bien se faire gronder !

Lola parvient à sortir discrètement, son sac d'école à la main. Et Titou se colle à elle pour que la maîtresse ne remarque rien. Une fois dans la cour et afin que Woufi ne s'énerve pas en fin de journée, Lola le laisse sortir quelques minutes du sac, à condition qu'il ne se fasse pas trop remarquer.

Un attroupement se forme immédiatement autour de Woufi. Tout le monde est ravi de découvrir un chien aussi beau et aussi gentil. Tous les élèves entourent Woufi afin que la maîtresse ne le découvre pas et que Lola ne soit pas punie.

Mais, tout à coup, Woufi,
dont le ventre s'était mis à
gargouiller, saute sur le sandwich
d'un petit garçon gourmand !
Oooooh, font les autres enfants
un peu effrayés, qui craignent que
Woufi ne saute aussi sur le leur.

Voilà beaucoup de bruit, qui alerte
aussitôt la maîtresse ! Lorsqu'elle
s'approche et découvre Woufi,
Lola bégaie et ne sait pas trop
quelle explication donner. La maîtresse
est très fâchée ! Amener son chien
à l'école afin qu'il apprenne aussi
à lire et à compter, en voilà
une drôle d'idée !

Quand Lola rentre chez elle ce soir-là,
Woufi de nouveau dans son sac d'école
et Titou à ses côtés, elle comprend
en ouvrant la porte que la maîtresse
a prévenu ses parents et qu'elle va
se faire sérieusement gronder !
Alors, Lola se met à pleurer.
Quelle vilaine fin à une journée
qui avait si bien commencé !

Les parents de Lola sont fâchés, certes, mais comme ils comprennent aussi les intentions de Lola, ils évitent de trop la gronder, et Lola s'arrête de pleurer. Puis ils lui expliquent que la place d'un chien est à la maison, dans le jardin ou dans son panier, pas enfermé dans un sac tout noir où il peut à peine respirer.

Lola comprend que les chiens
ne pourront jamais lire ni compter.
Et qu'elle a peut-être été égoïste
en refusant de se séparer du sien.
Pour s'excuser, elle embrasse Woufi sur
le bout du museau. Puis, tous deux
sortent s'amuser dans le jardin.
Demain, Woufi pourra rêvasser
tranquillement dans son panier,
et Lola écouter la maîtresse
sans s'inquiéter de rien.